peti

Première édition dans la collection « lutin poche » : juin 2002

Loi numéro 49 956 du 16 juillet 1949 sur les publications
destinées à la jeunesse : septembre 1984
Dépôt légal : juin 2002
Imprimé en France par Pollina à Luçon - n° L86647

Michel Gay

petite-auto

lutin poche de l'école des loisirs
11, rue de Sèvres, Paris 6e

Ce matin petite-auto
doit être belle.

C'est les vacances !

Quel embouteillage

sur l'autoroute !

Et quelle chaleur !

Enfin voilà la mer !

Pauvre crabic, petite-auto

écrase son château de sable.

Petite-auto est impatiente

d'essayer sa bouée toute neuve.

Crabic n’est pas content, il veut

pincer les fesses de petite-auto.

Aïe ! la bouée est crevée

et voilà une énorme vague.

Crabic n’a pas peur,
il a l’habitude des vagues,

mais petite-auto ne sait pas nager.

Comme elle a bu la tasse,

son moteur est noyé.

C’est la faute de crabic.

Avec ses grosses pinces,
il ouvre le capot.

« N'aie pas peur, petite-auto,

je vais te réparer soigneusement. »

Petite-auto va beaucoup mieux.

Mais stop ! On oublie la bouée.
Il lui faut une rustine.

Crabic n’a plus besoin de château maintenant.

Petite-auto l'invite à dormir sous son parasol.